D1551109
Ce livre appartient à ...
mon "TI-MINOU"
Mahée
de
Pépé
&
Mamie
xxx

Concept: Bogbryggeriet

www.c4ci.com
Cette édition publiée par Les Éditions Goélette jeunesse
www.editionsgoelette.com

Imprimé en Chine

Souvenirs de ma garderie

Par Fanny Bruun
Illustrations d' Anne-Marie Frisque

À la garderie

C'est mon premier jour de garderie ! J'ai ____ ans.

Mon éducatrice s'appelle ____________________

Elle habite ____

Ma « classe » a un joli nom : ____________________

Nous sommes _____ enfants.

Je vais à la garderie pour la première fois (date) ____ / ____-____

C'est moi ! Mon premier jour de garderie !

PHOTO

Pour mon premier jour de garderie, je me sens

Les impressions de maman et papa

Ma journée à la garderie

J'arrive le matin à ______ heures.

Je vais à la garderie en ________________

Je suis accueilli par ________________

Dans mon sac, il y a ________________________________

Je prends mon déjeuner à ____________

Mes jeux préférés sont ________________

Je dîne à ___________

Je fais la sieste à ______________ , dehors ou dedans, dans un petit lit/landau.

Je me réveille à ________________

Le goûter a lieu à _____________ heures.

Mon activité préférée, l'après-midi, est ____________________

Je quitte la garderie à ____________________

Voici l'étiquette de mon porte manteau :

Mon plat préféré

Le matin, à notre arrivée, nous mangeons du/de la ________
____

Le dîner est à ________ heures.

Le plus souvent, on nous sert du/de la ________________

____

Au goûter, nous mangeons du/de la ________________

et nous buvons du/de la ______________________
____

Mon plat préféré est __________________________

____

Au lit !

La sieste a lieu à l'intérieur/à l'extérieur.

Je dors dans un lit/ landau/ sur un matelas.

Je dors avec mon ____________________

Je dors de _____ heures à _____ heures.

À partir de _____ ans, je ne ferai plus la sieste.

C'est moi, pendant la sieste !

PHOTO

Mes meilleur(e)s ami(e)s à la garderie

Première année	Deuxième année	Troisième année
______________	______________	______________
______________	______________	______________
______________	______________	______________

Mes ami(e)s préféré(e)s :

____

____

____

Nos jeux préférés :

Première année	Deuxième année	Troisième année
______________	______________	______________
______________	______________	______________
______________	______________	______________

Mes ami(e)s

Photo de tous les enfants

Photo de mon ami(e) préféré(e)

Photo de mon adulte préféré

Nom ____________

Nom ____________

Dans la cour !

Dehors, nous jouons à :

Les jeux d'extérieur que je préfère sont :

L'heure du conte

On nous lit beaucoup d'histoires :

Mes histoires préférées sont :

Voici l'histoire que j'aime particulièrement :

Travaux manuels

À la garderie, nous faisons des travaux manuels. Exemple :

Mes activités préférées sont :

C'est moi, en train de travailler !

PHOTO

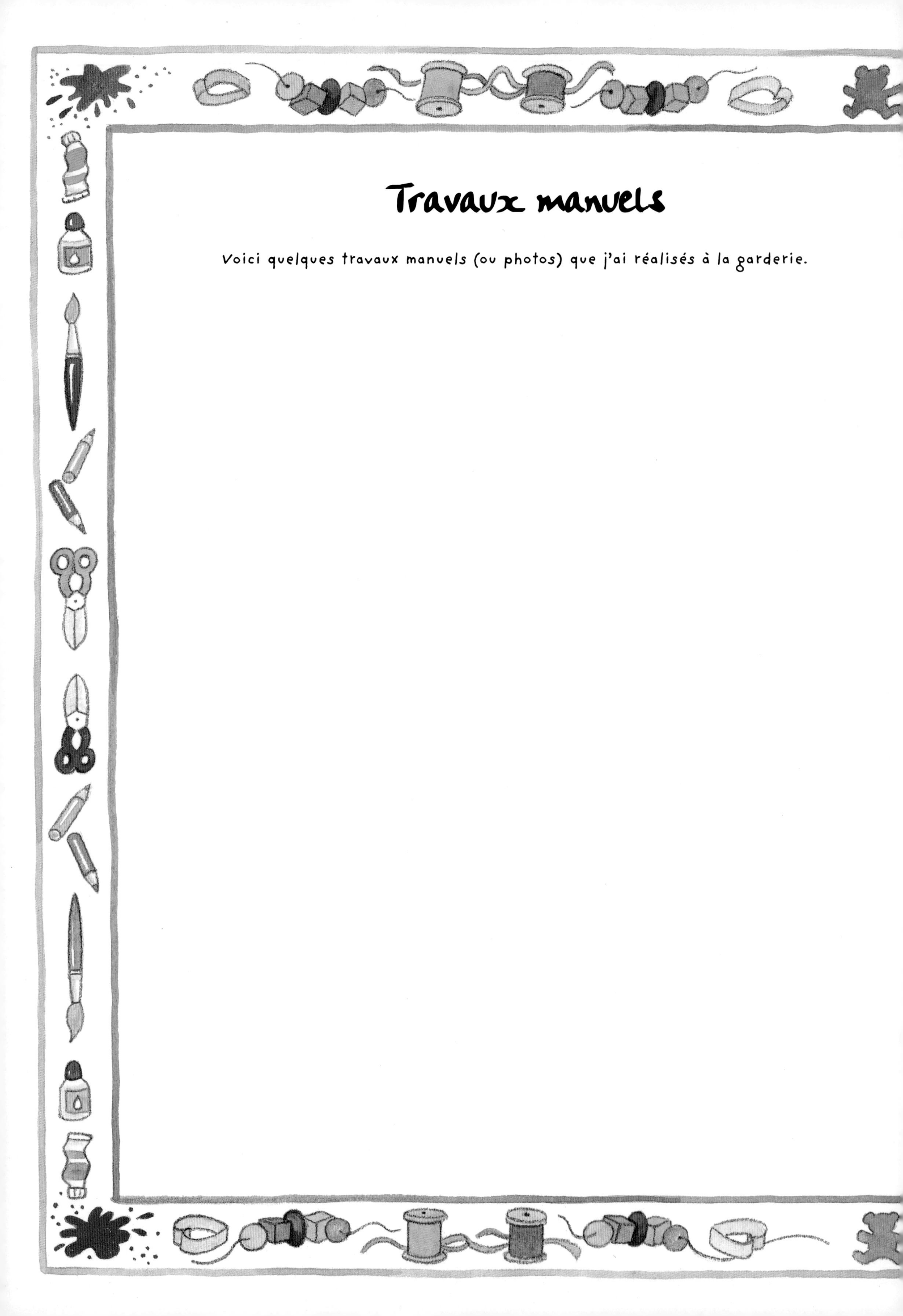

Travaux manuels

Voici quelques travaux manuels (ou photos) que j'ai réalisés à la garderie.

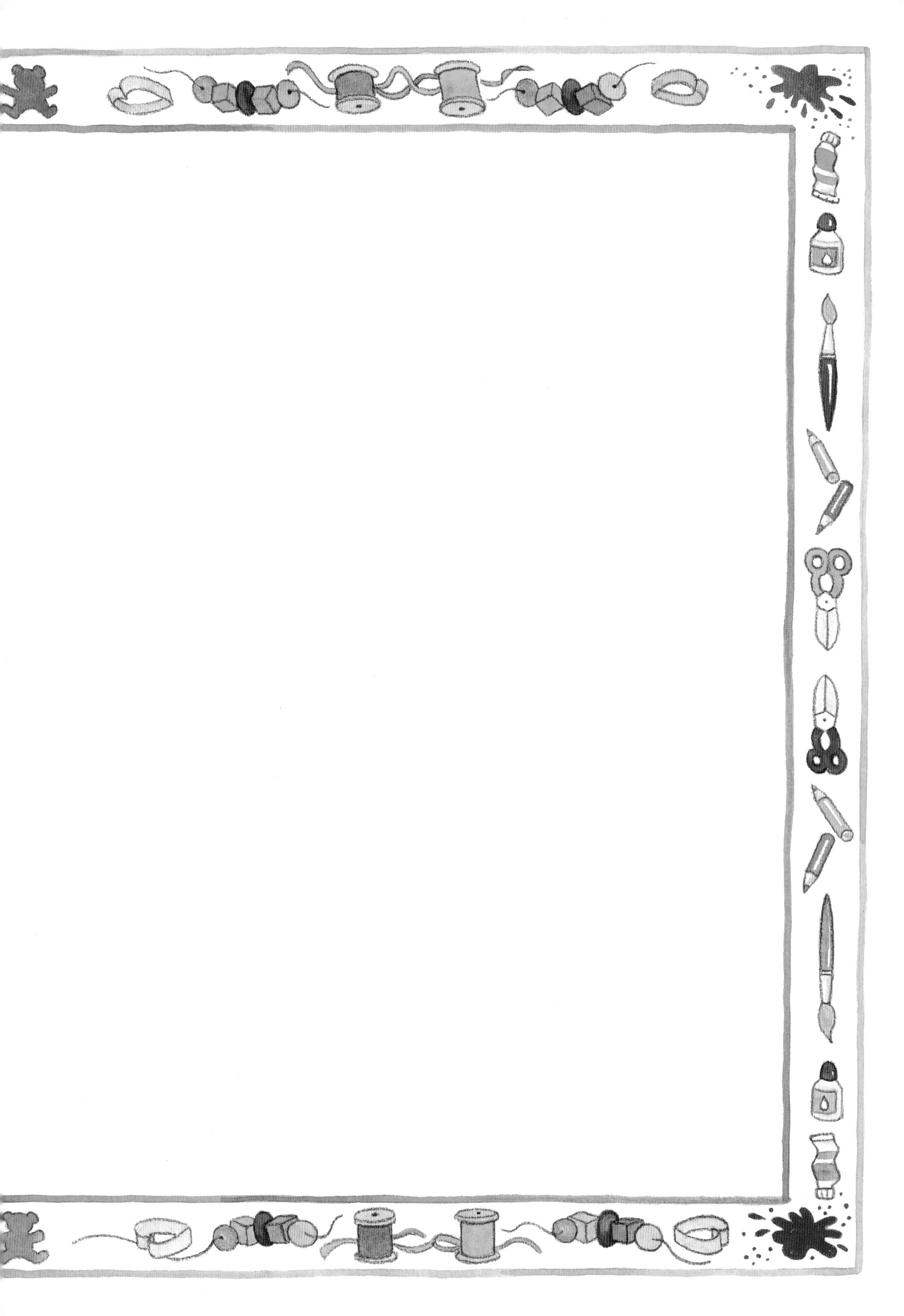

Musique, chant, danse

À la garderie, nous faisons de la musique, nous chantons et dansons.

Je préfère: ____

Je joue du/de la: ____

Chants

Voici mes chansons préférées :

____

____

____

____

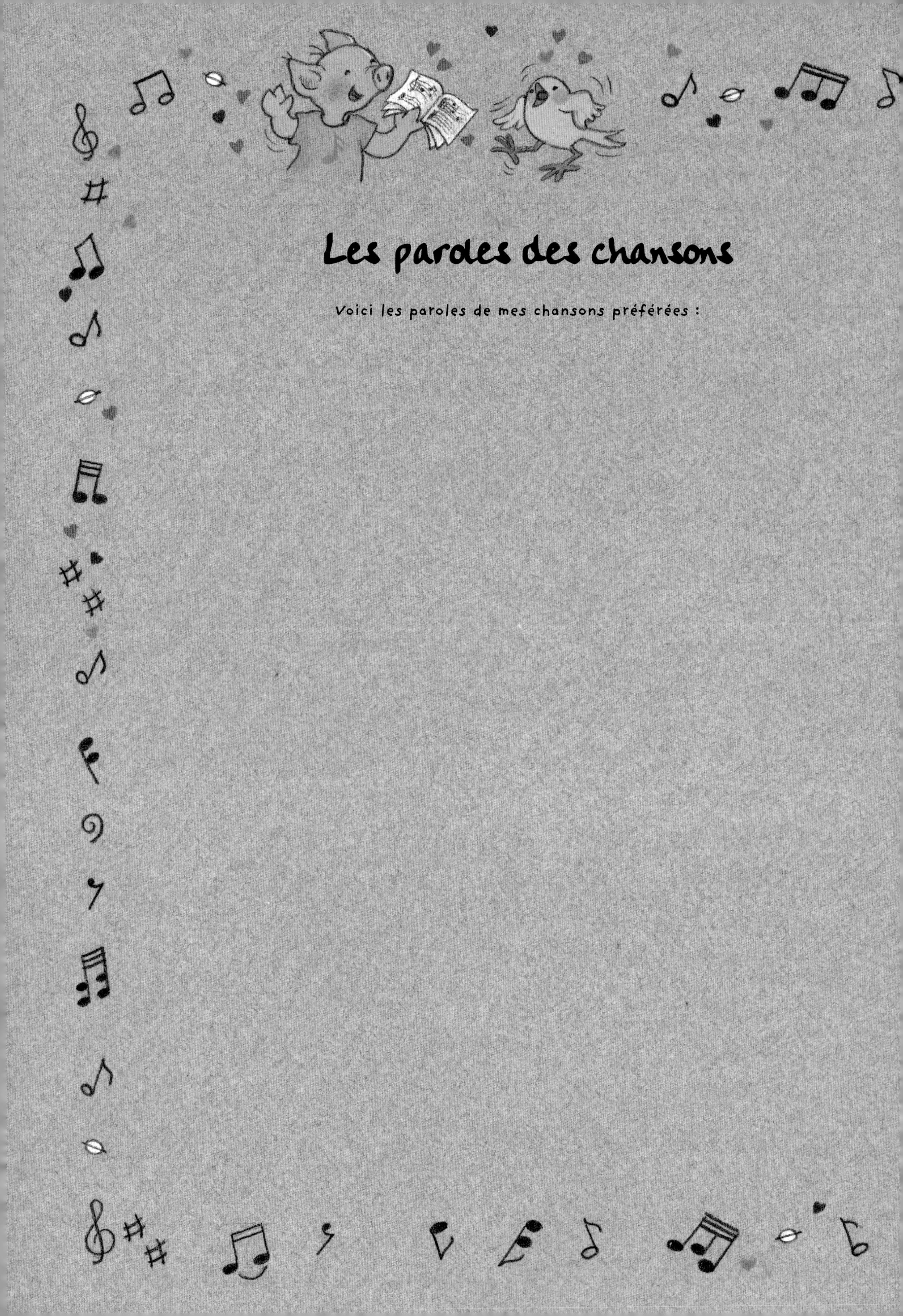

Les paroles des chansons

Voici les paroles de mes chansons préférées :

Sortie et souvenirs

À la garderie, nous faisons souvent des sorties : au parc, au zoo, au théâtre, à la plage, dans la forêt et même au musée.

Mes sorties préférées :

Date	Lieu	Remarques

Autres notes concernant nos sorties :

Souvenirs

Souvenirs de nos sorties : feuilles mortes, billets d'entrée, programmes, photos, etc...

Bon anniversaire !

J'ai fêté mon anniversaire à la garderie. J'ai ____ ans.

C'est moi, à la fête organisée à la garderie pour mon anniversaire :

PHOTO

Voici ce que nous avons fait pour mon anniversaire à la garderie :

Mes ami(e)s, pour mon anniversaire à la garderie.

PHOTO

Une année de fêtes !

À la garderie, nous ne fêtons pas seulement les anniversaires, mais aussi Noël, Pâques, la fête des mères... Voici les événements que nous célébrons :

Janvier

Février

Mars

Avril

Mai

Juin

Juillet

Août

Septembre

Octobre

Novembre

Décembre

Mes fêtes préférées sont ____________________.
Voici comment nous célébrons ces fêtes à la garderie,
les chansons que nous chantons, des photos, etc...

____

____

____

____

____

PHOTO

Je grandis !

Depuis mon premier jour de garderie, j'ai beaucoup grandi !

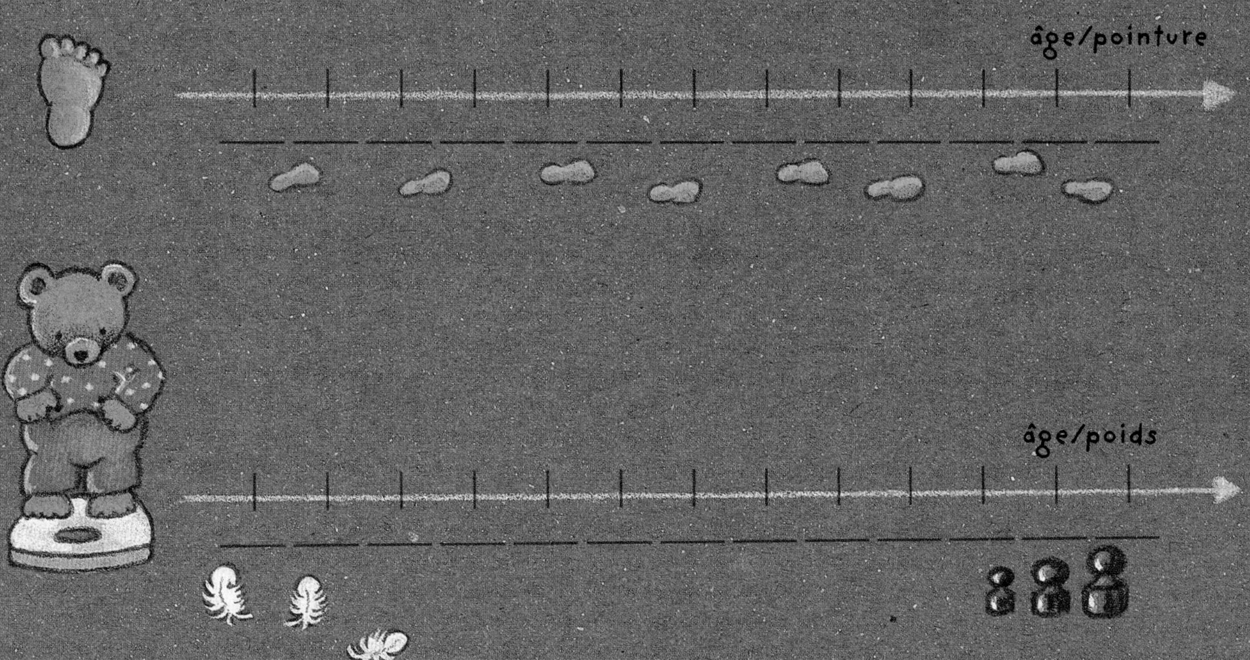

EMPREINTE DE MA MAIN,
LORS DE MON PREMIER JOUR
À LA GARDERIE.

Souvenirs de l'équipe

Ces pages sont destinées à l'équipe de la garderie :
quel type d'enfant je suis, mes bons mots, mes premiers dessins,
mes histoires drôles et autres souvenirs...

Au revoir !

Maintenant, je suis grand (e) ! Je vais quitter la garderie !

Voici quelques souvenirs de la fête de fin d'année : photos, dessins, etc...

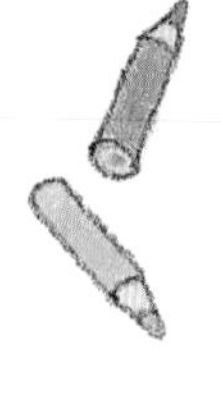

Souvenirs

Ces pages sont réservées à d'autres photos, dessins,
et souvenirs de la garderie.

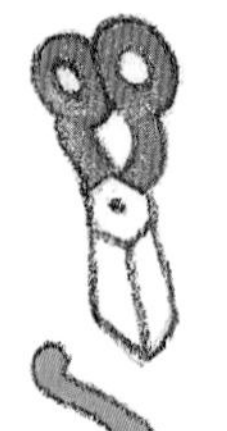

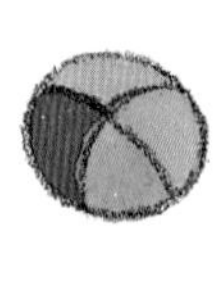

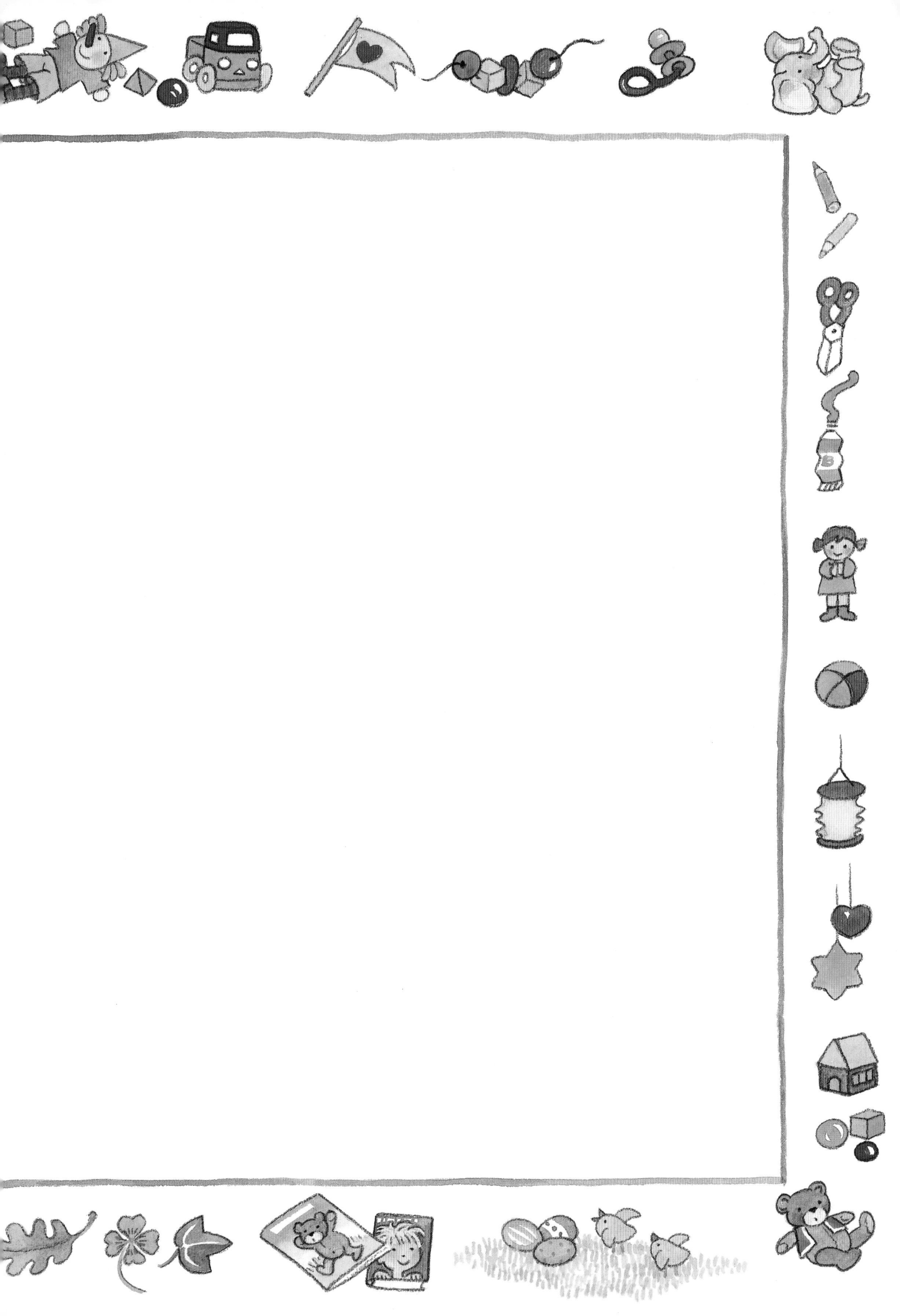

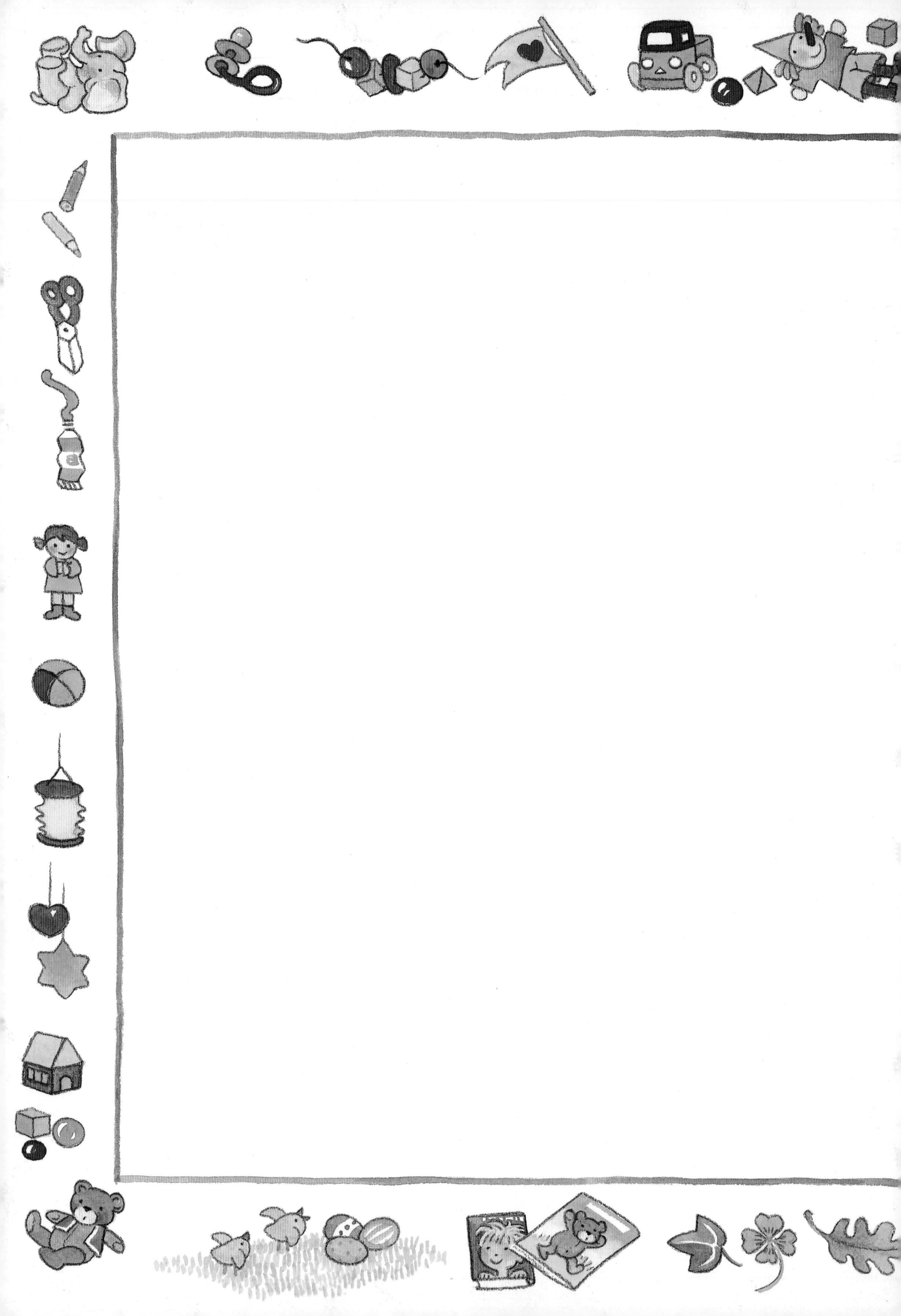